JEUNESSE

Marie Quatdoigts

roman

Du même auteur

Le Verbe cœur, poésie, La courte échelle, 2002.

SÉRIE MARIE QUATDOIGTS

Marie Quatdoigts, coll. Bilbo, Québec Amérique, 2002.
Les Idées noires d'Amélie Blanche, coll. Bilbo, Québec Amérique,
   2003.
La Vie cachée d'Éva, coll. Bilbo, Québec Amérique, 2004.

Marie Quatdoigts

ROGER DES ROCHES

ILLUSTRATIONS : CARL PELLETIER

QUÉBEC AMÉRIQUE Jeunesse

Catalogage avant publication de Bibliothèque et Archives Canada

Des Roches, Roger
Marie Quatdoigts
(Bilbo jeunesse ; 108)
ISBN 2-7644-0167-1
I. Titre. II. Collection.
PS8557.A87M35 2002   jC843'.54   C2002-940496-7
PS9557.E87M35 2002
PZ23.D47Ma   2002

 Conseil des Arts **Canada Council**
du Canada   for the Arts

Nous reconnaissons l'aide financière du gouvernement du Canada
par l'entremise du Programme d'aide au développement de l'industrie
de l'édition (PADIÉ) pour nos activités d'édition.

Gouvernement du Québec – Programme de crédit d'impôt pour
l'édition de livres – Gestion SODEC.

Les Éditions Québec Amérique bénéficient du programme de
subvention globale du Conseil des Arts du Canada. Elles tiennent
également à remercier la SODEC pour son appui financier.

Québec Amérique
329, rue de la Commune Ouest, 3e étage
Montréal (Québec) H2Y 2E1
Téléphone : (514) 499-3000, télécopieur : (514) 499-3010

Dépôt légal : 3e trimestre 2002
Bibliothèque nationale du Québec
Bibliothèque nationale du Canada

Révision linguistique : Diane Martin
Montage : Andréa Joseph [PAGEXPRESS]
Réimpression : février 2005

À Justine B. Gravel, Annabel Baron, Joannie Bélanger, Pierre-Olivier Caron, Mathieu Champagne, Nicolas Chatel, Cindy Côté-Andreetti, Ian Dansereau Girard, Carl Desrosiers, Caroline Drolet, Élisabeth Fournier, Olivier Girouard, Kevin Grondines, Jade Guillemette Lafontaine, Gabriel Houle Bissonnette, Vanessa Laforge, Josianne Larin-Roy, Julie Mecteau Bouchard, Jean-Vincent Noël, Marc-André Paquin, Marianne Tremblay-Bertrand, Cloé Verdoni, Francis Wallend et, bien sûr…

Ève Des Roches, classe 302, cru 2000-2001, école Sainte-Maria-Goretti, *qui ont écouté, qui ont commenté – qui en ont redemandé ! – et qui sont vingt-quatre bonnes raisons pour lesquelles* Marie Quatdoigts, *d'abord un défi lancé à moi-même, s'est révélé un tel plaisir à livrer, semaine après semaine, chapitre après chapitre.*

À Marie-Josée Paré, une institutrice comme j'aurais aimé en avoir eu jadis, professionnelle et drôle, entièrement engagée dans son travail, qui fait ainsi tomber la frontière entre profession et vocation.

Pourquoi les gens m'appellent Marie Quatdoigts

Ah, oui? Tu veux t'asseoir à ma table? ma table à moi? Hum! Pourtant, il y en a beaucoup d'autres, des tables, autour de nous! Il y en a beaucoup d'autres tables, dans la cafétéria, avec plein de gens beaucoup plus intéressants que moi! D'ailleurs, tiens, si j'étais toi, j'irais manger avec Sophie, là-bas. Tu vois, la jolie fille avec les belles boucles dorées? Il paraît qu'elle n'a plus de petit ami maintenant, alors j'imagine qu'elle doit être si triste…

Oh! C'est avec *moi* que tu veux t'asseoir, pas avec Sophie?

Ah, bon…

Eh bien moi, je gagerais trois truffes au chocolat belge que c'est Pinotte qui t'envoie. Avoue!

C'est si clair que c'en est évident! Comme tu es nouveau à l'école, Pinotte t'a annoncé que, si tu voulais faire partie de sa bande, il te fallait passer par une petite, une toute petite initiation. Juste pour savoir si tu es un *vrai de vrai*! Ah! Je l'imagine, moi, planté là avec les poings sur les hanches, qui te dit: «Si tu veux faire partie de notre bande, et ce n'est pas n'importe quel nono qui peut en faire partie, alors tu vas aller achaler la petite bizarre qui mange toute seule au fond de la cafétéria. Tu vas voir: on va rire comme des fous!»

C'est ça qu'il t'a dit, Pinotte, n'est-ce pas?

Comment ça, tu ne connais personne qui s'appelle Pinotte?

Eh là! Pas de menteries!

Je vous ai vus, ce matin, tous les deux, vus de mes yeux vus!

Cela faisait à peine cinq minutes que ta mère t'avait laissé dans la cour de l'école que Pinotte te sautait dessus: gros sourires, grosses tapes dans le dos, des «Toi, tu m'as l'air d'un gars *cool* à mort!», et tout le tralala…

C'est ça, c'est lui, Pinotte. Ça te revient maintenant?

Jean-Yves Pinaud, dit Pinotte. Qui a redoublé sa maternelle – le croiras-tu? redoublé sa maternelle! – et qui a redoublé sa première année aussi. Une bolle, quoi!

Je vous ai vus, tous les deux, en train de faire copain, copain et de… *comploter*!

Moi, j'étais dans mon coin, les mains dans les poches, toute seule comme d'habitude. J'observais. J'observais ce qui se passait dans la cour. C'est alors que je vous ai vus. Toi, au début, je dois dire que tu avais l'air plutôt mal à l'aise.

Tu es timide? Oh! Pauvre chou! Eh bien, ça ne paraissait pas tant que ça ce matin! Pinotte, lui, égal à lui-même, faisait des grimaces, pointait le doigt dans ma direction, te parlait à l'oreille et riait. Je l'ai vu agiter les mains et rire la bouche grande ouverte. Puis toi – grand timide, que tu dis? –, je t'ai vu sourire. Oh oui! *sourire*!…

Maintenant, te voilà qui fais semblant que…

Comment ça, tu ne te rappelles même pas ce qu'il t'a dit, Pinotte? Tu n'écoutais pas…

Il te parlait de moi, allons donc! Oui, de *moi*! De *Marie Quatdoigts*!

Ça te dit quelque chose, ça, *Marie Quatdoigts*?

Euh… Non?

Comment ça, non? Tu me prends pour une idiote?

Quand je pense que tu m'as dit: «Je veux juste manger à ta table.» Allons donc!

C'est pour de vrai?

Quoi?

Tu trouves que Pinotte n'est qu'un attardé de la pire espèce? et qu'il pue de la gueule?… et des dessous de bras?… Hon!

Mais alors, ça change tout!

Bien sûr que tu peux t'asseoir!

Qu'est-ce que tu manges?

Des brocolis? Pourquoi fais-
tu la grimace? Moi, *j'adore* les
brocolis! Allez, je te propose
un marché : je t'échange deux
chocolats fourrés à la crème au
beurre contre une portion de
ta salade au brocoli. Maman ne
met jamais de légumes dans
mon lunch, seulement des
chocolats...

En passant, pas besoin de
te présenter. Je sais comment
tu t'appelles : Robert. Robert
Dumas.

Comment je le sais? Facile :
tes parents et toi, vous venez
tout juste d'emménager dans la
maison au coin de notre rue.
Celle avec les rosiers qui débor-
dent jusque sur le trottoir. La
mienne, c'est la petite vert pâle

en face, avec le saule qui pleure en avant. Mon père veut le couper, le saule, parce que, depuis quelque temps, il pleure plutôt des chenilles… Ma mère a rencontré la tienne au supermarché le week-end passé. Ensuite, ma mère a rendu visite à la tienne et lui a offert une boîte de truffes au cognac. Puis elles ont jasé… jasé… jasé… tout l'après-midi !

Voilà pourquoi je sais déjà que ton nom, c'est Robert Dumas, que tu es à peu près du même âge que moi, que tu aimes les lapins presque à la folie et que tu veux devenir astronaute !

Moi ? Moi, je m'appelle Marie. Marie Gadouas. J'ai le même âge que toi, ou presque. J'aime mieux les chats, mais les lapins, c'est trognon aussi.

D'ailleurs, j'ai déjà gardé celui de mon oncle pendant une semaine alors que mon oncle était en voyage à Paris. Il était gentil, le lapin, mais il commençait à enseigner à mon chat comment ronger les fils électriques! Moi, j'aimerais ça devenir spéléologue et explorer les cavernes loin dans la terre. Ou bien archéologue et explorer les villes ensevelies…

Ma mère? Elle fait du chocolat.

Oui, oui! Pour de vrai!

C'est son métier: elle confectionne des chocolats à longueur de journée et elle les revend à des boutiques chic. Ce sont des chocolats d'excellente qualité, et les commandes lui arrivent de partout.

Mon père, lui, possède une petite entreprise qui fabrique

des niches à chien. On dit que ce sont les meilleures niches à chien du monde entier. Enfin, c'est ce que *lui* nous répète. Ça doit être vrai, car il n'arrête pas de voyager : Londres, New York, Pékin… Il en vend des milliers, de ses niches à chien !

Tiens, prends un autre chocolat si tu ne veux pas terminer ton brocoli. Moi, j'adore le brocoli… mais ça, je te l'ai déjà dit, je crois !…

Désolée pour tantôt. Je suis agressive parfois. Je m'emporte facilement. J'ai la mèche un peu courte, comme on dit : un regard de travers, même s'il n'est pas tellement de travers, et j'explose.

Si tu vivais ce que je vis depuis des années…

Oh, oui ! Des années ! Depuis la *maternelle* ! Avant aussi, mais d'une autre manière.

Je me rappelle… À la maternelle, la *première* heure de la *première* avant-midi n'était même pas écoulée que la classe connaissait déjà mon surnom : *Marie Quatdoigts.*

Ça t'étonne ?

Devine qui me l'a donné, ce surnom…

Debout derrière son gros pupitre, mademoiselle Johanne prenait les présences. Elle lisait bien haut la liste des élèves de sa nouvelle classe et chacun devait lever la main aussitôt qu'il entendait son nom.

— Amélie Arnaud ! qu'elle lança, mademoiselle Johanne.

Amélie Arnaud leva la main, et notre institutrice lui décocha son plus beau sourire et dit :

— Bienvenue à l'école Soleil du millénaire !

Moi, j'attendais, angoissée.

Mademoiselle Johanne continua à lire sa liste par ordre alphabétique :

— Richard Bergeron !... Sophie Bérubé !... Jean-Claude Brien !...

Tu sais, Jean-Claude, c'est un grand énervé, et il a agité les deux mains si fort que j'ai cru qu'il allait s'envoler !

Mademoiselle Johanne s'est retenue de pouffer de rire, puis elle a continué :

— Kim Brousseau !... Charles Champagne !...

Charles a hésité avant de lever la main. Je le voyais, assis à ma droite, qui s'était mis à trembler. Mademoiselle Johanne a répété :

— Charles Champagne !

Alors, Charles a fait une grimace et, tout en levant la main, il s'est mis à pleurer.

Je n'ai jamais su pourquoi Charles s'était mis à pleurer. Peut-être que mademoiselle Johanne le terrifiait. À bien y penser, peut-être était-ce plutôt l'école qui le terrifiait, car j'ai eu Charles dans ma classe les deux années suivantes, et crois-moi, il pleurait à tout bout de champ! Ce jour-là, mademoiselle Johanne a dû mettre dix bonnes minutes à le consoler!

Moi, pendant ce temps-là, j'étais assise, assise sur mes mains, comme c'est mon habitude depuis aussi longtemps que je me souvienne. Quand je m'assois, je m'assois sur mes mains. Quand je suis debout, j'ai les mains dans les poches.

J'attendais qu'elle dise mon nom.

— Amelia Dimembro!… Lucie Drapeau!… Julien Fabre!…

C'était à mon tour de trembler.

Et de suer à grosses gouttes.

Je me doutais de ce qui
allait arriver.

Pinotte était assis derrière
moi, et je l'entendais ricaner.
Oh! Il ne ricanait pas très fort,
et mademoiselle Johanne ne
pouvait pas l'entendre, mais
moi, je l'entendais parfaitement.

Mon tour est enfin venu.

— Marie Gadouas! qu'elle a
dit, bien fort, notre institutrice.

J'allais lever la main (le
poing fermé, bien sûr), quand
la grosse voix de Pinotte m'a
fait sursauter. Et a fait éclater
de rire toute la classe :

— Pas Gadouas, mademoi-
selle Johanne : Quatdoigts!
Marie Quatdoigts!

Alors, mademoiselle Johanne,
que le rire général de la classe

avait un peu décontenancée, a dit ce qu'il ne fallait pas dire :

— Désolée, les amis, si je me suis trompée. On recommence : Marie *Quatdoigts,* où es-tu? Lève la main.

Ah! Ça te fait rire! Eh bien, pas moi, je te le jure! Pinotte, vois-tu, c'est mon voisin. Depuis que je suis haute comme ça qu'il m'appelle Marie Quatdoigts. Tant que ça restait entre nous, passe encore, mais alors là, devant toute la classe, la *première* heure de la *première* avant-midi, je n'en pouvais plus! Ç'a été à mon tour de pleurer. Pinotte, lui, il continuait de ricaner. Peu importe ce que mademoiselle Johanne disait, je n'arrêtais pas de pleurer. Vois-tu, mademoiselle Johanne s'entêtait à répéter mon surnom – sans savoir que

ce n'était qu'un surnom :
« Allons, ma petite Marie
Quatdoigts, il ne faut pas pleurer comme ça.» Elle a continué
ainsi jusqu'à ce qu'elle s'aperçoive, alors qu'elle prenait mes
mains dans les siennes pour me
consoler, *pourquoi* Jean-Yves
Pinaud, dit Pinotte, m'avait
appelée ainsi.

Marie Quatdoigts.

Je vois à ton regard considé-
rablement éberlué que tu ne
comprends rien…

Tu es aveugle ou quoi? C'est
pourtant si clair que c'en est
évident !

Regarde bien, alors, car cette
démonstration-là, je ne la ferai
qu'une seule fois !

Voilà : je pose donc la main
gauche sur la table… Puis la
main droite… Jusque-là, ça va?
Bon !… Mes mains, je les mets

bien à plat sur la table... Et j'écarte les doigts... Tu sais, avant d'arriver à la maternelle, la plupart des enfants ne savent pas comment se nomme chacun de leurs doigts. Moi si. Je le savais depuis fort longtemps. Alors, on commence par la gauche : l'auriculaire... le majeur... l'index... le pouce... Puis la droite maintenant : l'auriculaire... le majeur... l'index... le pouce... Tu as compté ? Non ? Alors, compte en même temps que moi : un... deux... trois... quatre... cinq... six... sept... huit...

Stop ! Assez !

Chez Marie Gadouas, ça s'arrête à huit !

De bien beaux doigts, fins, longs, élégants, des doigts d'artiste, à ce qu'on dit.

Mais… seulement… quatre… doigts… par… main !

Voilà pourquoi tout le monde m'appelle Marie *Quatdoigts* !

Allons, allons, Robert, ferme la bouche, sinon les mouches vont entrer !

Avec un ami comme Pinotte, pas besoin d'ennemis

Comment ça, tu veux voir
mes pieds?

Ça ne va pas, non?

Tu ne t'imagines quand
même pas que je vais enlever
mes baskets et mes chaussettes
devant tout le monde pour te
montrer mes pieds?

Et puis d'ailleurs, pourquoi
tu voudrais…

Ah! Oui, je comprends maintenant.

Non, Robert, j'ai des pieds
tout ce qu'il y a de plus nor-
mal, avec cinq orteils chacun:
des gros, des moyens et des
tout petits.

Ouais, tu as raison : lorsqu'on y pense, il aurait pu également me manquer un orteil par pied, n'est-ce pas? Ç'aurait fait comme une espèce d'équilibre.

Tu veux un autre chocolat? Tu aimes les fraises? Demain, j'apporterai des chocolats avec des centres à la fraise. Ceux que ma mère confectionne sont géniaux : tu vas te régaler!

Bon. Ça fait maintenant plus d'une demi-heure que tu es assis à ma table, alors dis-moi : comment on se sent en face d'un monstre?

D'accord, d'accord. Peut-être pas un monstre comme celui du docteur Frankenstein, pas comme Dracula, pas comme la momie avec ses bandages tout sales ou un mort vivant à qui il manque un bras, mais

disons quelqu'un de plutôt...
particulier? ou de plutôt bizarroïde?

Comment ça, toi aussi, tu es
particulier? et bizarroïde? À
part le fait que tu n'aimes pas
les brocolis, qu'est-ce qui te
rend si bizarroïde?

Tu es *roux*?

Juste ça?

Dis-toi que ça ne me gêne-
rait pas le moins du monde
si on m'appelait « Carotte »
pendant quelques semaines,
juste pour faire changement!
« Carotte » ou « Rougette » ou
«Red» (*Red*, ça veut dire «rouge»
en anglais). Mon oncle, les
gens l'appellent « Tit-Rouge »
depuis si longtemps que
presque plus personne ne se
rappelle son prénom. Au fait,
Robert, je n'ai jamais osé
demander cela à mon oncle,

mais... les cheveux roux... est-ce que ça brille dans l'obscurité?

Hé! C'était juste pour rire! Fais pas cette tête-là!

Allez, il me reste un dernier chocolat. Je crois qu'il est au café. On le partage?

Oh! Tu n'es pas allergique au café, j'espère? Ni au chocolat? Je m'y prends un peu tard pour te le demander, mais mieux vaut tard que jamais.

En passant, qui as-tu comme institutrice? Mademoiselle Valérie?

Elle n'est pas si mal, mademoiselle Valérie. Un peu – comment dirais-je? – *spéciale,* mais gentille comme tout. Je l'ai eue l'an dernier pendant quelques mois. Elle oublie tout, mademoiselle Valérie: le nom de ses élèves, quel jour on est, s'il y a un examen ou pas, si elle est venue à l'école en bus ou en automobile. Enfin! Si tu veux t'en faire une amie, propose-lui – très discrètement, bien sûr, pas devant les autres élèves! – de lui servir d'aide-mémoire. Elle pourra te confier ses clés en entrant en classe, te dire où elle a garé son auto, et ainsi de suite.

Tiens, tiens : voilà Pinotte qui passe là-bas avec sa bande de pas trop joyeux lurons. Je me demande combien de kilos de gel Pinotte utilise chaque semaine pour que ses cheveux tiennent toujours comme ça en petits pics raides. Certains matins, il doit rester la tête plantée dans son oreiller!

Regarde… Non! Ne regarde pas! Fais comme si de rien

n'était. Pinotte nous observe. Il a l'air un peu surpris. Il ne m'a jamais vue attablée le midi avec un autre élève. Il ne doit plus rien comprendre, le pauvre p'tit gros! Ceci dit, j'espère qu'il ne te rendra pas la vie impossible à partir d'aujourd'hui. Lui et sa bande peuvent être plutôt cruels; alors il faut avoir, comme moi, la couenne suffisamment dure!

Tu t'en fous? Bravo! Mais ne viens pas dire plus tard que je ne t'avais pas prévenu!

Le croirais-tu si je te disais que Pinotte, qui ne s'appelait pas encore Pinotte, a été mon voisin à la pouponnière?

Oui, à la pouponnière!

J'ai ce garçon-là sur le dos depuis ma naissance!

Bon! Ils ont dû s'en conter une bonne, Pinotte et ses

sbires, car ils rient à gorge déployée. Non! ne te retourne pas! Ils font plein de simagrées. Pinotte est un expert en grimaces et là, maintenant – mais ne te retourne pas, que je te dis! – là, il a décidé de battre son propre record!

Qu'est-ce que je racontais déjà?

Ah, oui! Mon voisin à la pouponnière. Il avait déjà les cheveux droits sur la tête. Il faisait déjà le fanfaron et il gueulait tout le temps! Enfin, c'est ce que mes parents m'ont dit, car moi, à cette époque-là...

Aïe! J'espère qu'il ne viendra pas à ma table. Euh... je veux dire, à *notre* table. Il a l'air super en forme aujourd'hui, et Pinotte super en forme, c'est une plaie!

Je le sais, Robert, car il a commencé à me tomber dessus alors que j'avais à peine trois ans. C'était l'hiver. Ma mère avait dit à la sienne qu'il pouvait venir jouer dans la cour avec moi. Je portais des mitaines que ma grand-mère m'avait tricotées. Ma grand-mère m'a tricoté des douzaines et des douzaines de mitaines: pour l'automne, pour l'hiver, pour le printemps. Jamais elle ne m'a tricoté des gants. J'imagine qu'il n'existe pas de modèle qui vous disent comment tricoter des gants à quatre doigts. Enfin…

Au début, Pinotte s'est comporté correctement. Presque. Il ne m'a poussée dans la neige que deux ou trois fois. Il ne m'a lancé que trois ou quatre balles de neige particulièrement dures. Moi, je croyais que c'était comme ça que, d'habitude, les garçons jouaient. De plus, j'étais si heureuse d'avoir enfin un ami avec qui m'amuser, un ami autre que mes amis imaginaires, que j'étais prête à endurer bien des coups. (En passant, en as-tu eu, toi, des amis imaginaires? Moi, je les appelais mes amis *transparents*. Mes amis transparents, ils aimaient exactement les mêmes choses que moi: faire parler des toutous, dessiner des dinosaures, creuser des cavernes dans les placards. Ils étaient polis, mes amis transparents: ils ne faisaient jamais de blagues à propos de mes mains. Jamais!)

Qu'est-ce que je disais déjà?

Ah, oui! À un moment donné, Pinotte a décidé qu'il

inventait un jeu : «Lançons la tuque et les mitaines de Marie.» Ce jeu m'avait semblé, au départ, super drôle. Pinotte mettait beaucoup d'énergie à courir après moi, et moi, je mettais beaucoup d'énergie à m'enfuir. On a couru comme ça pendant dix ou quinze minutes, jusqu'à ce qu'il attrape ma tuque, me l'arrache et la lance. J'ai alors compris que le jeu s'appelait pour de vrai : «Lançons la tuque et les mitaines de Marie sur le toit de la maison.»

J'ai aimé beaucoup moins!

Pinotte, lui, il a *adoré*! Il ricanait sans arrêt.

On s'est remis à courir. Moi, je ne riais plus. Surtout lorsque Pinotte m'a rattrapée et jetée au fond du château que nous avions creusé plus tôt dans la neige. Il m'a arraché une mitaine, puis la seconde, puis, alors que je me débattais pour m'enlever la neige qui entrait par l'encolure de mon manteau, je l'ai vu qui changeait d'air. J'ai vu ses yeux briller tout à coup et il a eu un grand, très grand sourire.

Il a jeté les mitaines derrière lui – il avait oublié qu'il devait les lancer sur le toit de la maison – et, pendant quelques secondes, il a regardé mes mains. Puis ses mains à lui. Il a replié ses doigts, l'un après l'autre. On aurait dit qu'il comptait. Je ne sais pas s'il savait compter jusqu'à dix lorsqu'il avait trois ans, et je doute même qu'il sache compter jusqu'à dix aujourd'hui, mais soudain, il s'est écrié :

— T'es pas pareille ! T'es pas pareille comme moi !

J'ai fait une grimace. J'ai répliqué :

— Je le sais. T'es un garçon et moi, je suis une fille !

— T'es pas pareille ! qu'il a répété.

Puis, Pinotte a eu un éclair de génie (sans doute son premier et son dernier). Il a crié :

— T'es comme un bonhomme animé à la télé ! T'a pas assez de doigts pour être vraie !

Il a réfléchi un peu (enfin, je ne sais pas si on peut appeler ça «réfléchir»), puis il a hurlé :

— Marie Quatdoigts ! Marie Quatdoigts !

Il est parti chez lui en courant, en criant et en ricanant.

Il n'est plus jamais revenu jouer avec moi après cet épisode. Même pas pour jouer à «Lançons la tuque et les mitaines de Marie sur le toit de la maison».

Moi? Qu'est-ce que j'ai fait, moi, ensuite?

Ben, j'ai récupéré les mitaines que grand-maman m'avait tricotées. C'étaient mes préférées. Elles étaient rouge, bleue, rouge, bleue, rouge. Et elles n'étaient pas perchées sur le toit de la maison comme l'était ma tuque.

Puis, je suis rentrée à la maison.

Non, Robert, je ne pleurais pas.

De toute manière, je ne l'aimais pas vraiment, ma tuque. Elle était jaune – tu imagines? – *jaune*!

J'avais toutefois appris des choses très importantes, capitales même, sur ma vie, et je me suis empressée d'aller les dévoiler à ma mère.

— Maman! que j'ai dit sans même prendre le temps d'enlever mes bottes. Maintenant, je le sais. Je m'appelle Marie *Quatdoigts*! Pas Gadouas, *Quatdoigts*! Et je suis un bonhomme animé! N'éteins surtout pas la télévision, sinon je ne serai plus vraie et je vais disparaître!

Je n'ai pas d'annulaire, alors je ne pourrai jamais me marier

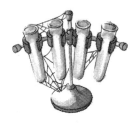

Oh, non, mademoiselle! Je suis certainement certaine que Robert ne l'a pas fait exprès.

Bien sûr que je le connais bien, moi, Robert: c'est mon voisin. Sa mère et la mienne sont à peu près inséparables – quasiment comme des sœurs jumelles, mademoiselle!

Nous mangions tranquillement. Je vous le jure! En réalité, nous avions presque terminé. Puisqu'il restait encore vingt minutes avant que la cloche sonne, nous avions décidé d'aller jouer au ballon-poire dans la cour. Nous n'avons pas vu Pin… je veux dire Jean-Yves.

Moi? Je sais que j'aurais dû le voir, Jean-Yves, mais Robert me racontait un roman que son père lui a prêté, et c'était passionnant comme tout, et j'étais un peu comme dans le roman moi-même.

Comment ça, une jambette?

Non, vous vous trompez sûrement, mademoiselle, pas une *jambette*.

Oh! Je sais! Ça, c'était quand Robert me montrait comment le héros du roman qu'il lit…

Robert, comment il s'appelle le héros de ton roman?

Laisse faire, ça me revient maintenant: Bob, Bob Morane!

Alors, donc, Robert me montrait comment son héros était

suspendu au-dessus du vide alors que *la terre s'ouvrait sous ses pieds!*

Peut-être que Robert s'est laissé emporter par la démonstration. Il a peut-être écarté les jambes un peu trop. Comme Bob Morane au-dessus du vide. Et puis, il n'a pas vu Jean-Yves arriver. Et puis, Jean-Yves passait trop vite. Vous savez comment Jean-Yves est toujours en train de courir tout partout, n'est-ce pas? Alors il se sera enfargé dans la jambe de Robert.

Oh! Je sais que ce n'était pas drôle de le voir… s'envoler. Ce n'était pas drôle non plus de le voir atterrir la face la première dans le spaghetti aux tomates de Claude à côté.

Si j'ai ri? Moi? Ben, moi…

Bon! D'accord! Je ne *peux* pas vous mentir, mademoiselle! Oui, je dois avouer que j'ai ri. Un petit peu. Mais j'ai ri parce que *tout le monde* dans la cafétéria s'est mis à rire quand Pin... quand Jean-Yves s'est relevé avec du spaghetti aux tomates plein les cheveux : ça faisait comme des bizarres de décorations de Noël accrochées dans ses cheveux en pics.

Oh! Je sais! Il ne faut pas rire du malheur des autres. Ma mère me l'a dit souvent. Vous comprenez, mademoiselle, que j'en sais quelque chose, moi, du malheur, et des gens qui rient des autres, n'est-ce pas?

Oh! Pas du tout, pas du tout! Pas besoin de vous excuser. Je suis grande maintenant; je suis habituée à tout ça. Ce n'est pas facile tous les jours, croyez-moi, mais j'ai des amis qui respectent ma... c'est quoi l'expression déjà?... ma *dif-férence.* Mais comme ma mère le dit souvent, personne ne pourra jamais prétendre que je ne sais rien faire de mes dix doigts!

Oui, d'accord, mademoiselle, nous allons jouer dans la cour maintenant, Robert et moi.

Ne vous en faites pas pour moi. J'espère juste que la mère de Jean-Yves ne le chicanera pas trop d'avoir taché son beau chandail... D'accord... À tantôt...

...

Eh! Veux-tu bien me dire, Robert, ce qui t'a pris de donner une jambette à Pinotte?

Comment ça, il riait de moi? Il rit *toujours* de moi! Ce n'est pas nouveau, ça! Et il fait *toujours* des simagrées, et il m'appelle *toujours* «Marie Quatdoigts», surtout quand sa bande se tient derrière lui. Tu sais, depuis le temps que ça dure…

Maintenant, mon pauvre, tu risques d'avoir Pinotte sur le dos pendant toute l'année!

Mais je dois dire que voir Pinotte voler comme un pingouin, c'était à mourir de rire!

Quoi? Allons donc, je sais que les pingouins ne peuvent pas voler! D'ailleurs, la voilà, la preuve: quand les pingouins essaient de voler… ils atterrissent toujours la face la première dans du spaghetti aux tomates!

Allez, viens! Sortons de la cafétéria avant que la surveillante se mette à réfléchir à l'histoire que je lui ai racontée.

Non, Robert, pas dehors.

Crois-tu vraiment que les autres élèves vont nous laisser jouer au ballon-poire? Faudrait pas être naïf à ce point-là!

Non, nous allons nous promener dans les… *catacombes*!

C'est quoi, les catacombes?

Tu vas voir.

Allez, on tourne à gauche ici.

Tu vois la grosse porte au fond du corridor? C'est l'entrée des catacombes.

Personne derrière nous? Magnifique! Dépêche-toi!

Bien sûr que je sais que c'est marqué «Entrée interdite». Ça, ça s'adresse aux autres élèves, pas à nous!

Appuie fort sur la poignée et pousse… pousse plus fort! C'est ça…

Hou! Elle grince de plus en plus, cette porte-là!

Vite! Referme derrière toi...
Voilà!

Fais attention maintenant: il y a seize marches à descendre dans l'obscurité. Nous ne pourrons pas allumer avant d'être rendus en bas, car quelqu'un pourrait voir la lumière du couloir.

Douze... Treize... Quatorze... Quinze... Seize...

C'est comme dans un château hanté, n'est-ce pas?

Qu'est-ce que ça sent?

Ça sent la poussière. L'humidité. Plus personne ne vient dans cette section du sous-sol depuis des années, sauf pour des urgences quand les vieilles fournaises flanchent.

Tasse-toi un peu que je trouve le commutateur.

Et... *Lumière*!

Impressionnant, n'est-ce pas?

Voici donc les catacombes de l'école Soleil du millénaire!...

Bon... Enfin... Ce ne sont pas *vraiment* des catacombes, avec des cercueils, plein de squelettes et tout et tout...

Le corridor dans lequel nous sommes présentement fait le tour de l'école. Presque chaque midi, plutôt que de rester dans la cafétéria ou d'aller mettre le nez dehors, je me promène. Ça me prend à peu près quinze minutes pour faire le trajet.

Personne ne vient m'embêter ici. Les catacombes m'appartiennent. Je peux en faire, dans ma tête du moins, ce que je veux.

Qu'est-ce qu'il y a derrière toutes ces portes? Des pièces vides. Ou alors pleines de boîtes qui ont été oubliées là depuis des siècles.

Tu savais que notre merveilleuse école est *antique*? Oh oui! Antique! Auparavant, c'était une école pour les plus vieux. Un collège classique. Pour garçons seulement.

Un peu plus loin, il y a d'anciens laboratoires. J'ai découvert des tas d'éprouvettes qui y avaient été abandonnées. Des tas de bouteilles vides, qui devaient contenir à l'origine des produits chimiques. Et puis une dizaine de cages dans lesquelles les profs devaient garder des rats, des chats, toutes sortes d'animaux pour les dissections.

Parfois, lorsque je me promène ici, je m'amuse à imaginer que les fantômes des rats et des chats se promènent aussi dans les corridors. J'imagine qu'ils se cachent dans les pièces vides. Je les entends couiner et miauler. Je les vois, du coin de l'œil, qui se faufilent entre des caisses éventrées.

J'imagine qu'on peut sentir l'odeur des produits chimiques que les élèves utilisaient dans leurs expériences de chimie. Je me dis qu'on peut même les voir, ces étudiants-là : ils sont habillés comme mon père s'habillait lorsqu'il allait au collège – il m'a montré des photos de lui à quatorze ans –, avec le pantalon gris, la veste bleue, la chemise blanche, la cravate toujours bien serrée autour du cou, et *jamais* de baskets ni de jeans !

Tu as peur ? Allons donc !

C'est super ici ! C'est comme si nous étions seuls au monde ! On n'entend aucun bruit qui vient d'en haut. C'est comme si

l'école n'existait plus! Imagine:
plus de Pinotte et sa bande,
plus de cours de gymnastique!
Moi, je déteste la gymnastique,
avec tout le monde qui me
regarde aller comme si j'étais
une bête de cirque! En classe,
bon, ça va, car chacun fait sa
petite affaire, sinon le prof
sévit. On peut alors rêver tran-
quille parfois. Au cours de
gymnastique, toutefois, pas
moyen d'échapper aux autres
élèves, même en pensée!

Ici, dans le sous-sol de
l'école, dans mes catacombes,
je suis *bien*. Je suis la *reine*.
Je peux oublier que je ne suis
«pas pareille», comme disait
Pinotte. Que j'ai l'air d'un per-
sonnage de bande dessinée.
Qu'il ne me manque que des
gants blancs pour avoir l'air de
Mickey Mouse!

Ici, dans mes catacombes, je peux oublier que j'ai mis trois semaines de plus que tout le monde pour apprendre à compter sur mes doigts jusqu'à dix.

Essaie donc pour voir, avec huit doigts seulement!

Oh! j'en ai bavé longtemps! Je comptais: un... deux... trois... quatre... cinq... six... sept... huit... Après, plus rien: il me manquait des doigts! Au début, arrivée à neuf, je fondais en larmes.

Puis, j'ai découvert un truc: je comptais mes pouces deux fois, et le compte y était. Des trucs comme ça, on n'en trouve pas tous les jours. Je ne sais pas, moi, si plus tard je vais pouvoir apprendre le piano. Ça prend combien de doigts pour jouer comme il faut du piano? ou pour jouer de la clarinette ou de la guitare?

Un jour que je regardais un film à la télé, j'ai vu un prince glisser un anneau au doigt de sa princesse. Il le lui glissait à l'annulaire. J'étais assise avec maman et nous mangions du pop-corn. J'ai éclaté en sanglots. Ma mère, croyant que les histoires d'amour, ça me faisait pleurer, m'a dit :

— Allons, Marie, c'est juste du cinéma.

— C'est pas ça, que j'ai répondu en reniflant. Moi, je n'en ai pas d'annulaire, alors je ne pourrai jamais me marier !

Oui, tu peux sourire, si tu veux. Aujourd'hui, quand je me rappelle cette scène-là, j'arrive à sourire moi aussi, mais à cette époque-là…

Heureusement, j'ai mes catacombes.

Robert, qu'est-ce que tu marmonnes?

Ah oui? Des amis? Tu aimerais qu'on soit amis?

Des amis, tu comprends, je n'ai pas l'habitude, mais si tu veux être mon ami, moi, je veux bien... Et puis... Et puis, si tu veux être mon ami pour de vrai, je vais te confier mon secret le plus important!

Ça fait un an que j'explore le sous-sol de l'école, et j'en connais tous les coins et recoins. Tu sais quoi? Eh bien, j'ai découvert une manière de venir me cacher ici les week-ends et durant les vacances d'été!

Oui, même en été!

J'ai découvert une entrée *secrète*!

Imagine, Robert: j'ai des cousins qui se vantent d'avoir

une cabane juchée dans un gros érable derrière la maison de leurs parents. Ils l'ont transformée en club secret. Tu devines sans doute qu'ils se sont fait un plaisir de m'annoncer que jamais je ne serais admise dans leur club!

Ah! S'ils savaient que moi, j'ai une école au grand complet pour moi toute seule! Et aussi une cachette *ultrasecrète*!

Viens, ce n'est pas très loin.

Le samedi, je me prépare un pique-nique. Je bourre mon sac à dos de magazines de vedettes. J'y mets aussi un livre d'horreur ou deux, ainsi que mon baladeur, puis, comme une espionne, je me glisse jusqu'ici, ni vue ni connue!

C'est vrai que, sombre et poussiéreux, mon «royaume» ne paie pas de mine au premier coup d'œil. Après tout, des catacombes, ce n'est jamais très propre ni lumineux, n'est-ce pas?

Quelle heure est-il, maintenant?

Oh! La cloche va sonner bientôt! Il va falloir remonter à la surface!

Hé! ça te dirait de venir explorer les catacombes samedi?

Quoi? Tu voudrais que nous fondions un club secret? Oui! Ça, c'est une bonne idée! Nous allons fonder notre club secret à nous deux!

Comment on va l'appeler?

Le club des bizarroïdes? C'est super, ça!

Personne d'autre n'aura droit d'en faire partie…

À moins, bien sûr, qu'il soit encore plus bizarroïde que nous!

Journal intime de Robert Dumas

Interdit à quiconque
d'ouvrir et de lire ce
journal, sous peine de
représailles terribles !

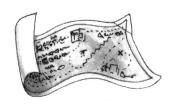

Lundi

Cher journal, permets-moi de me présenter: je m'appelle Robert Dumas.

Comme l'écrivain qui a bien connu les trois Mousquetaires.

Mais ce Dumas-là, il s'appelait Alexandre.

Comme mon père. Mais mon père, lui, il est cuisinier dans un grand restaurant, pas écrivain.

Il est cuisinier, mais il ne fait jamais la cuisine à la maison. Il refuse de faire ne serait-ce que le plus petit gâteau. Mon père prétend qu'il voit des chaudrons toute la journée et qu'il devient allergique aux chaudrons dès qu'il entre chez lui. Malheureusement pour moi, ma mère prépare beaucoup de salades. Trop. J'aimerais ça, moi, que mon père perde son emploi. S'il perdait son emploi, il ne verrait plus de chaudrons toute la journée et nous pourrions enfin manger plein de poulets rôtis, des steaks gros comme ça, avec de la sauce brune qui dégouline dessus, des frites, des poudings, des beignets... plutôt que des salades comme si nous étions des lapins.

Mon lapin s'appelle Fusée, parce qu'il file... comme une fusée.

Cher journal... j'ai une nouvelle amie!

Moi, je ne parle pas beaucoup. Les mots me manquent souvent. Ma nouvelle amie, elle, parle pour deux, alors ça va bien.

Je ne croyais pas me faire une amie si vite, dès ma première journée, à ma nouvelle école. Qu'est-ce qui m'a attiré vers Marie? Sais pas. Pourtant, il *fallait* que j'aille m'asseoir avec elle... même si (alors que je m'approchais de sa table) elle me donnait l'impression de ne vouloir rien savoir de personne.

Elle est jolie, Marie (personne d'autre que moi ne s'en est-il donc jamais aperçu?): elle a des cheveux châtains, plutôt longs et droits, qui ondulent et se balancent lorsqu'elle marche; elle a de grands yeux verts, brillants comme des diamants verts; elle a des lèvres qui, lorsqu'elle sourit, ont presque l'air d'avoir leur vie propre.

Hum! Serais-je en train d'écrire de la poésie?

J'ai rougi de la tête aux pieds quand, dans les catacombes, je lui ai demandé si elle voulait qu'on devienne des amis.

Je n'avais jamais demandé ça à une fille auparavant.

C'est compliqué sans bon sens!

Avec un garçon, pas besoin de dire quoi que ce soit: on devient amis, comme ça – paf! – sans se poser de questions... ou bien on s'ignore tout simplement et on continue son petit bonhomme de chemin...

ou bien on se met à se battre…

Mais elle a dit oui, Marie, qu'elle voulait qu'on soit amis.

Elle ne s'est pas moquée de moi.

Elle n'a pas dit:

— Comment ça, *amis*? Hé là, *carotte*, pour qui tu te prends, toi?

Tu ne me croiras peut-être pas, cher journal, mais j'étais sûr qu'elle allait dire ça. Qu'elle allait rire *méchamment*. Comme si j'avais lancé une nounou-nerie épouvantable.

Ma mère prétend sans cesse que je manque de confiance en moi:

— Tu manques de confiance en toi, mon beau p'tit chou de Bruxelles rouillé, qu'elle me dit sans cesse.

Je lui réponds:

— Je ne manque pas de confiance en moi, maman, je suis roux!

Elle secoue alors la tête comme si je venais de lui parler en chinois ou en extra-terrestre.

Parfois, et même souvent, j'ai le goût de lui demander:

— Pourquoi tu m'as fait roux, maman? Il n'y a personne d'autre qui est roux dans la famille!

Parfois, et même souvent, je me dis que si je continue de manger les salades de maman, peut-être que mes cheveux vont devenir verts: tant qu'à être différent, que je me dis, aussi bien y aller à fond!

Mais maintenant, j'ai... *Marie*.

(Je me demande si Marie tient un journal, elle aussi, si

elle le garde verrouillé comme le mien et si elle le cache comme moi je le fais, bien loin sous son matelas.)

Moi, cher journal, j'ai commencé mon journal parce que j'avais rencontré Marie et qu'il fallait que je le dise à quelqu'un, même si c'était juste à moi-même.

Si elle tient un journal elle aussi, je me demande si Marie a écrit: «Maintenant, j'ai Robert.»

Non.

Sans doute qu'elle a écrit: «Cher journal, aujourd'hui, j'ai rencontré un garçon à l'école; il a l'air plutôt gentil mais, c'est curieux, je ne me rappelle déjà plus son nom.»

Aujourd'hui, nous avons encore été nous promener dans les catacombes de Marie.

Marie m'a dit que c'étaient mes catacombes à moi aussi.

Je ne sais pas si je vais un jour m'habituer à l'odeur qui flotte partout et à l'obscurité qui se cache dans tous les coins.

Parfois, et même souvent, j'ai l'impression que quelque chose ou quelqu'un va surgir d'une de ces pièces fermées qu'il y a de chaque côté du corridor. Que quelque chose ou quelqu'un va nous sauter dessus : un monstre, un fantôme ou… un prof.

C'est calme, tout de même, dans les catacombes. Et on peut jouer.

Aujourd'hui, nous avons imaginé qu'il fallait retrouver un trésor caché voilà des centaines d'années par des espions extraterrestres. Nous avons dessiné une carte au trésor pendant l'heure du lunch. Nous l'avons couverte de gribouillis et nous avons fait semblant qu'il s'agissait de mots écrits en extraterrestre antique.

Nous n'avons pas trouvé le trésor des espions extraterrestres, mais nous avons découvert, dans une pièce où il n'y avait pas du tout de lumière et où il fallait aller à tâtons, deux caisses de très vieux manuels de français. Presque des fossiles! Tellement archaïques qu'ils ne contenaient aucune image en couleur!

J'ai dit à Marie que je ne comprenais pas comment nos

parents avaient pu apprendre le français dans des livres sans images en couleur.

— Leurs profs leur donnaient des *centaines* de pages de devoirs, a répondu Marie, et des *milliers* d'heures de leçons. Fallait bien qu'ils finissent par apprendre un jour!

Avant de descendre dans les catacombes, nous avons pris notre repas à la cafétéria, mais nous avons gardé nos desserts afin de les manger dans notre club secret. Marie m'a apporté des chocolats aux cerises et moi, je lui ai donné ma part de gâteau aux carottes et aux courgettes.

Parfois, et même souvent, et même la plupart du temps, je ne sais pas quoi lui dire, à Marie. J'ai peur de dire des nounouneries épouvantables.

Alors, je mange lentement. On ne parle pas en mangeant. On ne peut pas dire des nounouneries épouvantables la bouche pleine!

Marie, MARIE, **Marie** !

(Est-ce qu'elle pourra m'entendre, Marie, dans sa chambre, si j'écris son nom assez souvent?)

D'accord. Peut-être qu'il lui manque des doigts, à Marie. Moi, ça ne me dérange absolument pas. Non. Pas du tout.

D'ailleurs, cher journal, quand j'y pense, je me dis que c'est peut-être moi, Robert Dumas, qui ai quelques doigts en trop!

À nous tout seuls!

On a eu l'école à nous tout seuls!

Et nous avons eu la peur de notre vie!

Personne ne pourrait découvrir, même par hasard, l'entrée secrète de nos catacombes à nous.

C'est plein d'araignées!

Des grosses poilues!

Des grosses araignées poilues qui savent que vous n'avez rien à faire là. Des grosses araignées poilues qui vous regardent avec huit yeux – mais ça pourrait aussi bien être avec huit mille yeux!

Cher journal, laisse-moi te décrire notre entrée secrète...

Derrière l'école, dans un recoin où presque personne ne

va jouer, il existe une fenêtre – juste assez large pour nous laisser passer – cachée sous un escalier de métal qui mène à une porte condamnée. Des buissons épineux ont poussé devant la fenêtre, et il faut se tortiller comme des vers dans une pomme pour l'atteindre.

C'est plein d'araignées!

Plein de poussière, de cailloux, de bouts de bois, mais aussi de morceaux de métal rouillé dont Marie dit qu'ils pourraient très facilement provenir de la carcasse d'un vaisseau de l'espace abandonné depuis des milliers d'années par des êtres avec de grosses têtes et de gros yeux rouges.

Et c'est plein d'araignées!

Des araignées qui tissent des toiles compliquées dans lesquelles vous vous empêtrez pendant que vous vous tortillez pour approcher de la fenêtre. Des araignées qui tissent des pièges cachés près du sol et qui n'attendent qu'un moment d'inattention pour vous surprendre et vous mordre!

Je déteste les araignées.

Les araignées, c'est parfaitement inutile!

Marie, elle, leur parle comme s'il s'agissait de petits chats qu'elle aurait recueillis chez elle. D'ailleurs, certaines de ces bestioles, si on les laisse vivre, deviendront sûrement aussi grosses que des chats!

Non contente de disposer d'un buisson épais comme ça pour cacher son entrée secrète et de douzaines de monstres pour la garder, Marie y a fixé un morceau de contreplaqué tout sale qui donne l'impression que la fenêtre est condamnée depuis des années.

Comment a-t-elle fait pour découvrir cette entrée secrète?

— Quand personne ne veut jouer avec toi, m'a-t-elle expliqué, il faut que tu t'occupes. Je n'ai jamais été de celles qui peuvent rester enfermées dans leur chambre toute la journée à se tourner les pouces! Assez tôt, je me suis mise à explorer le quartier. Personne ne fait attention à une petite fille qui semble se promener, comme ça, sans trop savoir où elle va, à partir du moment où elle ne donne pas l'impression de préparer des mauvais coups dans sa tête. De toute manière, il y a bien des gens qui croient que, parce qu'il me manque des doigts, il me manque des petits bouts de cerveau aussi!

Alors, on ne me pose pas de questions, même si on me surprend en train de fouiner dans des endroits où j'ai plus ou moins le droit de me trouver… Un jour, pendant les vacances d'été, alors que je jouais dans la cour de l'école, ma balle a rebondi sous l'escalier. Je m'y suis faufilée. C'était une journée sombre, il allait pleuvoir bientôt et, derrière les buissons, il faisait noir comme chez le loup. Je ne trouvais plus ma balle. Il y avait là une fenêtre dont tous les carreaux étaient brisés. La fenêtre donnait dans le sous-sol de l'école. Voilà donc où était passée ma balle ! Comme c'était ma préférée – une belle bleu blanc rouge qui rebondit tellement haut lorsqu'on sait comment la lancer qu'on dirait qu'il y a un moteur dedans –, je n'ai pas hésité une seconde!

C'est alors que Marie a découvert ses catacombes à elle. Et c'est par ce même chemin qu'aujourd'hui nous sommes entrés, aujourd'hui samedi, dans nos catacombes à nous!

Nous avons laissé tomber nos sacs à dos par la fenêtre, puis nous avons suivi. Marie a replacé le morceau de contre-plaqué qui était muni, derrière, de poignées, et nous avons été plongés dans l'obscurité totale.

J'ai fait quelques pas, pru-demment, tout en fouillant dans mon sac à dos pour trou-ver ma lampe de poche.

— Bienvenue chez vous! a dit Marie, quelque part dans le noir.

— Où es-tu? ai-je demandé.

— Quelque part, a-t-elle répondu.

J'ai enfin trouvé ma lampe de poche. Je l'ai allumée et j'en ai dirigé le faisceau vers l'endroit d'où me semblait venir le son de sa voix.

J'ai cru que j'allais m'évanouir!

À la place du visage de Marie, il y avait celui d'un monstre blafard qui grimaçait!

— Grrrr! qu'il a grogné, le monstre.

— Marie! ai-je murmuré (car je n'avais plus de voix, tout à coup).

La lumière de ma lampe de poche tremblotait et le visage du monstre tremblotait aussi.

— Houuuu! qu'il a hululé, le monstre.

— Marie! ai-je dit d'une voix encore plus petite que la première fois.

Puis le monstre s'est mis à rire... d'un rire de jeune fille... et j'aurais pu fondre sur place de honte.

C'était, tu l'as deviné, cher journal, Marie que j'avais éclairée avec ma lampe de poche, mais j'avais été terrifié par l'apparence spectrale de son visage qui semblait flotter tout seul dans le noir.

— Pardonne-moi, a dit Marie. Je n'ai pas pu m'empêcher...

— Ça va, ça va, ai-je dit en ronchonnant. Si on allait explorer?

— Ça te dirait de jouer aux espions? a demandé Marie.

Elle s'est approchée de moi, elle m'a pris par la main et, d'un coup, toute ma mauvaise humeur a disparu.

Si j'avais apporté une lampe de poche dans mon sac à dos,

Marie, elle, avait oublié la sienne.

Alors, moi, soussigné Robert Dumas, *alors que Marie me tenait la main*, je nous ai guidés dans l'obscurité.

Heureusement que Marie ne pouvait voir mon visage, car il devait être rouge comme une tomate !

Nous sommes devenus des espions.

Moi, j'étais le maître espion.

— Pour aujourd'hui seulement, a précisé Marie. La prochaine fois, je n'oublierai pas ma lampe de poche.

Nous avons exploré, lentement, très lentement, alors que je balayais le corridor du faisceau de ma lampe de poche, tout le sous-sol au complet. Nous aurions pu, une fois rendus dans le corridor, allumer les lumières, mais c'était beaucoup plus excitant comme ça. Nous avions l'impression que l'obscurité se pressait contre nous, que nous pouvions *sentir* sur notre peau le noir tout autour. Nous parlions en chuchotant. Parfois nous devions nous arrêter, car nous étions pris de fous rires interminables. Des espions ne doivent jamais se laisser prendre par des fous rires sinon... ils se font prendre, mais par l'ennemi cette fois!

Je m'étais habitué à la main de Marie dans la mienne. Était-ce parce qu'elle n'avait que quatre doigts qu'elle me semblait si... légère?

(Note à moi-même : il faut que je cache mon journal le plus loin possible. Sous mon matelas, ce n'est peut-être pas

encore assez loin. Si maman découvre que j'ai une petite amie, elle va se précipiter sur le téléphone et elle va appeler la parenté: «Mon p'tit garçon à moi s'est fait une blonde! Comme c'est mignoooon!» Je vais mourir, moi, si elle se met à raconter ça à tout le monde! D'ailleurs, Marie, ce n'est pas ma petite amie... du moins, certainement pas dans sa tête à elle!)

Marie marchait tout près de moi et me soufflait à l'oreille:

— À gauche, juste là, c'est la chambre des tortures. Est-ce que tu entends les plaintes des prisonniers qu'on interroge?

Plus loin, elle murmurait:

— Ici, c'est un dépôt d'armes. Il faut être prudent, car il y a plein de pièges et des caméras partout!

Plus loin encore :

— Attention ! ne bouge plus ! Je crois que j'ai entendu les gardes qui approchent !

Mais moi, je ne jouais plus, car j'avais entendu quelque chose *pour de vrai*.

— Chut ! dis-je.

— Comment ça, chut ! dit Marie, offusquée.

— Écoute !

On entendait des voix.

Nous étions alors tout près de l'escalier qui mène au rez-de-chaussée, cet escalier que nous avions emprunté la première fois que j'étais descendu avec Marie aux catacombes.

— Nous ne sommes pas seuls, chuchota Marie.

— Il y a quelqu'un d'autre dans l'école ! chuchotai-je à mon tour.

— Un samedi, par-dessus le marché !

Marie se mit à grimper l'escalier dans le noir.

— Où crois-tu que tu t'en vas? demandai-je, inquiet.

— Je vais voir ce qui se passe, répondit Marie.

— Ils vont nous découvrir! répliquai-je.

— Pas si on est discrets!

Je n'avais pas le choix: il fallait que je suive Marie. Je ne voulais pas poireauter tout seul au bas de l'escalier, même si j'avais ma lampe de poche pour repousser un peu le noir.

Je suis donc monté moi aussi, sur la pointe des pieds. Arrivés en haut, nous avons collé l'oreille contre la porte.

— Il me semble que je reconnais…, commençai-je.

— Chut! fit Marie. Ils viennent par ici!

Nous les entendions qui approchaient. Ils étaient plusieurs, ils riaient, ils parlaient à voix haute comme s'ils étaient les maîtres des lieux :

— C'est super cool ici… quand y a pas d'école! disait un premier.

— T'es sûr qu'ils sont ici? demandait un deuxième.

— Je les ai vus dans la cour, je me suis retourné, puis tout à coup ils y étaient plus, répondait un troisième. Je suis sûr qu'ils sont ici quelque part.

— Attendez que je mette la main sur ces deux zigotos-là, disait enfin un quatrième. Je vais leur faire regretter leur petite farce de l'autre jour!

Marie me donna un coup de coude dans les côtes, mais ce n'était pas nécessaire : j'avais reconnu Pinotte et sa bande.

À notre insu, ils nous avaient suivis jusque dans la cour d'école mais, heureusement, ils ne nous avaient pas vus nous glisser au sous-sol par notre entrée secrète.

— Par où sont-ils entrés, ceux-là? murmura Marie.

— Les portes sont toujours verrouillées durant le week-end, dis-je en me grattant la tête. Ont-ils trouvé une nouvelle...

— Chut! fit encore Marie. Écoute! Je crois que nous allons bientôt avoir une réponse à ce petit mystère.

J'appuyai encore l'oreille sur la porte et j'écoutai. Pinotte et sa bande s'éloignaient en continuant à parler à tue-tête. Ils n'avaient pas songé un seul instant à ouvrir la porte derrière laquelle nous étions tapis.

J'entendis une autre voix, et des bruits de pas qui, encore une fois, s'approchaient de nous.

— Je vous dis que j'ai verrouillé les portes! protestait la voix.

Une autre voix, très grave, presque menaçante, répliqua aussitôt:

— Non, Charles, vous n'avez pas verrouillé.

Marie me donna encore une fois un coup de coude dans les côtes.

— C'est Charles, le concierge! me souffla-t-elle à l'oreille. Il est avec le directeur!

Le concierge et le directeur s'étaient arrêtés juste à côté de la porte qui menait au sous-sol. Je tremblais. La sueur me coulait dans le dos.

— Ils sont là! lança soudain le concierge.

Je mis mes mains devant ma bouche pour m'empêcher de crier.

— Arrêtez-vous! cria le directeur. Tout de suite!

Marie me donna un troisième coup de coude dans les côtes. J'aurais certainement des bleus ce soir!

— Pinotte et sa bande se sont fait prendre! dit-elle en riant tout doucement.

Le concierge et le directeur se sont éloignés en courant. Puis, quelques secondes plus tard, j'ai entendu Pinotte, ou l'un de sa bande, qui gémissait:

— C'est pas de notre faute!

Et un autre qui lançait:

— C'est de la faute à Marie Quatdoigts!

— Les absents ont toujours tort! grogna le directeur.

— Mais c'est vrai! dit un autre garçon.

— Qu'est-ce que vous faites ici? demanda le concierge.

— Vous ne vous doutiez pas que j'étais ici un samedi, n'est-ce pas? fit le directeur. Malheureusement pour vous, j'avais du travail en retard. Je m'étais dit que je pourrais travailler en paix!

— Marie Quatdoigts et Poil de Carotte sont ici eux aussi! fit Pinotte.

— Qu'est-ce que vous me chantez là? demanda le directeur.

— Nous les avons suivis! Tantôt, ils étaient dans la cour d'école, puis maintenant, ils n'y sont plus! Ça veut juste dire qu'ils sont entrés dans l'école ! Vous devez les punir eux aussi, pas juste nous!

Marie allait me donner un quatrième coup de coude dans les côtes, mais j'esquivai à temps.

— Vite ! chuchota-t-elle. Il faut déguerpir!

Sans faire de bruit, nous avons descendu les marches de l'escalier.

Nous n'osions pas allumer les lumières dans le corridor. Nous avons donc marché le plus rapidement possible, nous guidant avec ma lampe de poche qui, parfois, faiblissait dangereusement.

— Vite ! fit Marie. Vite, avant qu'elle s'éteigne tout à fait.

Le corridor me semblait interminable. Je ne voyais presque rien et, à chaque pas, j'avais peur de trébucher sur une vieille caisse oubliée là depuis des siècles.

— Vite! répéta Marie. On y est presque!

Qu'est-ce qu'ils faisaient, là-haut, le directeur, le concierge, Pinotte et sa bande? Sans doute qu'ils traversaient l'école vers la porte qui donnait sur la cour. Dans quelques secondes, ils y seraient!

— Vite! fis-je à mon tour.

Soudain, nous étions dans la petite pièce par où nous étions entrés. Pas trop tôt d'ailleurs, car ma lampe de poche s'éteignit en même temps que nous entrions.

— Suis-moi, dit Marie.

À tâtons, nous nous sommes dirigés vers le fond de la pièce. Nous avons grimpé sur une caisse et Marie a poussé le morceau de contreplaqué qui bouchait la fenêtre. Nous avons lancé nos sacs à dos à l'extérieur.

— Je passe la première, fit Marie. J'ai l'habitude. Ensuite, je tendrai le bras pour t'aider.

Marie s'exécuta. Presque aussitôt, elle disparut par la fenêtre et, quelques secondes plus tard, je m'agrippai au bras qu'elle me présentait.

— Vite! chuchota-t-elle. Ils arrivent!

Je grimpai, je passai la tête par la fenêtre. Déjà j'entendais des voix qui criaient:

— Je vous l'avais dit, monsieur le directeur, ils ne sont pas là!

— Vous devez les punir, eux aussi!

Marie m'aida à sortir. Elle replaça le panneau de contre-plaqué.

— Suis-moi, dit-elle.

Nous avons ramassé nos sacs à dos et nous avons couru, nous dirigeant vers le côté de l'école.

Tant que les autres étaient dans la cour proprement dite, ils ne pouvaient nous voir, mais ils approchaient. Ils approchaient vite!

Pendant que nous courions, Marie fouillait dans une des poches de son sac. Elle eut un petit rire en découvrant ce qu'elle cherchait et, se retournant vers moi, elle me dit:

— Quand ils arriveront, laisse-moi parler!

Elle laissa tomber son sac à dos par terre et, presque du même geste, lança quelque chose contre le mur tout en disant, à voix très haute, au même moment où les autres débouchaient eux aussi sur le côté de l'école:

— Je t'avais dit que ma balle, c'était la meilleure balle du monde! Elle rebondit tellement bien qu'on dirait qu'il y a un moteur dedans!

La balle frappa le mur, monta dans les airs et retomba devant le directeur qui l'attrapa au vol.

Marie feignit la surprise.

— Monsieur le directeur! dit-elle, comme un enfant qu'on a surpris en train de commettre une gaffe.

— Qu'est-ce que vous faites ici? grogna le directeur en me regardant.

J'allais répondre, mais Marie s'interposa:

— Nous sommes venus jouer à la balle dans la cour d'école, expliqua-t-elle avec un petit sourire timide, mais après quelques minutes, j'ai eu peur que ma balle finisse par casser une vitre. Alors, j'ai dit à mon ami Robert que, sur le côté de l'école, puisqu'il n'y a pas de fenêtres, alors là, aucun danger. N'est-ce pas, monsieur le directeur?

Le directeur sembla réfléchir un instant puis, sans se retourner, fronçant les sourcils, il lança :

— Jean-Yves Pinaud, vous m'avez menti!

— Mais-mais-mais... balbutia Pinotte.

— Pas de mais ! Charles, vous allez reconduire cette petite bande de voyous dans mon bureau. Je vais les voir dans quelques minutes, le temps que je réfléchisse à une punition exemplaire!

Puis, adressant un sourire à Marie et à moi, le directeur fit sauter la balle bleu blanc rouge de Marie dans sa main. Il regarda le mur de l'école un instant, puis il dit :

— À l'époque, quand j'avais votre âge, moi aussi j'avais une balle spéciale. Je l'appelais ma super-balle. Elle était toute noire. Parfois, lorsque je la lançais contre le sol, j'étais sûr qu'elle allait rebondir jusqu'au ciel !

Tirant la langue, le directeur lança contre le sol la balle de Marie, et la balle sembla vouloir rebondir jusqu'au ciel.

Journal intime de Robert Dumas

(suite)

Vous savez ce que
ça veut dire, le mot
« intime », n'est-ce pas ?
Ça veut dire
« Pas touche ! »

Lundi, un mois et demi
plus tard que la dernière fois

Je m'appelle toujours Robert Dumas.

Je me demande, cher journal, la chose suivante :

Qu'est-ce qu'elles aiment, les filles, comme cadeau d'anniversaire ?

Des fleurs ?

▲ ▲ ▲

Papa, il a déjà acheté des fleurs à maman.

Je me souviens qu'il avait quelque chose à se faire pardonner. Il a cru que des fleurs, ça ferait un bon cadeau de réconciliation.

Il avait acheté un bouquet énorme, avec plein de fleurs de toutes les couleurs, des fougères, des rubans, tout le tralala. Il était arrivé plus tôt du restaurant et, droit comme un piquet au beau milieu du séjour, il avait offert le bouquet à maman, qui s'était écriée :

— Oh! Mais tu n'aurais pas dû!

Puis elle avait aussitôt ajouté :

— Bien sûr, si tu ne l'avais pas fait, je ne t'aurais plus adressé la parole de toute ta vie!

Ils avaient bien ri, papa et maman.

Moi, j'étais dans le couloir et je les observais.

Je me suis dit qu'il valait mieux que je monte à ma chambre, car bientôt, sans doute, ils commenceraient à s'embrasser et tout et tout... mais ce n'est pas ce qui est survenu.

Maman s'est mise à éternuer.

En souriant, elle a approché le gros bouquet, elle a mis son nez dedans, elle a respiré un bon coup, puis... elle s'est mise à éternuer.

— Mes allergies ! qu'elle a hurlé, les yeux pleins d'eau. Pourquoi n'as-tu pas pensé à mes allergies !

Papa a répondu :

— J... j... j'ai oublié que tu étais allergique.

Et maman a répliqué :

— Justement, il est là, tout le problème : tu as oublié !

Cela leur a pris près d'une semaine pour faire la paix.

Moi, ce que j'aurais voulu leur dire, à papa et à maman, c'était que maman avait oublié, elle aussi, qu'elle était allergique aux fleurs. Enfin…

▲ ▲ ▲

Ouais ! Ça ne règle pas mon problème.

Qu'est-ce qu'on offre aux filles, cher journal, pour leur anniversaire ?

Pas des fleurs !

Il faut que j'y songe sérieusement, car l'anniversaire de Marie approche à grands pas : dans trois semaines très exactement.

Pense, Robert, pense !

▲ ▲ ▲

Pinotte se fait plutôt rare, ces jours-ci. Depuis que le directeur l'a pris en flagrant délit, il file doux pas pour rire.

Deux semaines de suspension!

Monsieur le directeur n'y a pas été de main morte : deux semaines de suspension pour Pinotte et une semaine pour chacun de ses complices.

Maintenant, Pinotte n'est plus lui-même. Il est même moins que l'ombre de lui-même. Lorsqu'il se promène dans la cour d'école, il longe les murs. Il ne dit plus un mot. On jurerait qu'il s'est complètement *dessoufflé*! Il a même changé de coiffure : les pics qu'il avait sur la tête ont tous disparu, il n'en reste plus un seul, ses parents l'ayant expédié chez le coiffeur – un coiffeur qui, si l'on en juge par les résultats, venait tout juste de s'acheter une nouvelle tondeuse!

Maintenant que Pinotte et sa bande ne règnent plus en maîtres sur la cour d'école et dans la cafétéria, la vie se révèle plus facile pour Marie. Ça ne signifie pas pour autant qu'elle est devenue tout à coup la fille la plus populaire de l'école. Non. On chuchote toujours «Marie Quatdoigts» un peu partout. Mais voilà la différence: on le *chuchote*, on ne le *crie* plus... J'imagine qu'il en sera ainsi jusqu'à ce qu'un nouveau Pinotte fasse son apparition à l'école, mais pendant ce temps-là, nous, les deux seuls membres du Club des bizarroïdes, on a la sainte paix!

▲ ▲ ▲

Des bonbons!

Bravo! Voilà ce que les filles aiment recevoir!

Pas n'importe quelle sorte de bonbons.

Des super!

Des super bons!

Des super chers!

Avec plein de crème au chocolat dedans, des durs et puis des mous, des gros pour les grosses faims de bonbons et des petits quand l'appétit est plus discret, et puis…

… et puis, qu'est-ce que je peux être idiot parfois!

Réfléchis, Robert, réfléchis! Une tête, ça sert à autre chose qu'à foncer dans les murs!

Qu'est-ce qu'elle fait dans la vie, la mère de Marie? Hein? *Elle fait du chocolat!* C'est une chocolatière! Elle en fait à longueur de journée, des chocolats, et des bonbons au chocolat. Elle en fait tant que Marie ne pourrait plus en avaler un seul même si le sort du monde en dépendait. Elle en est même à envier les enfants qui sont allergiques au chocolat, car si elle l'était, ça la dispenserait d'avoir à tester les nouvelles créations de sa mère lorsque celle-ci se sent inspirée!

Non. Pas de bonbons. Même dans le plus bel emballage qui soit. Pas de chocolats pour l'anniversaire de (((ma belle))) Marie.

Qu'est-ce que je vais faire alors? Qu'est-ce que je vais faire?

▲ ▲ ▲

Bien que monsieur le directeur ait presque découvert nos explorations illicites, nous n'avons rien changé à nos prétentions de faire du sous-sol de l'école, des catacombes, notre univers à nous, Marie et moi. Je dirais même qu'au contraire, maintenant que nous n'avons plus à craindre quoi que ce soit de Pinotte et de sa bande, nous faisons ce qui nous plaît.

Nous y sommes retournés presque chaque midi (presque, car il ne faut pas qu'on s'aperçoive que nous disparaissons de la circulation tous les jours à heure fixe). Les week-ends, toutefois, les samedis *et* les dimanches, nous nous retrouvons dans notre Club (cette petite pièce que Marie «habitait» depuis quelques semaines déjà).

Nous l'avons redécoré.

Nous avons accroché des affiches un peu partout – dont les affiches de mes groupes favoris, Les Hurlements noirs et Squelettorium; mon père dit que leur musique lui fait penser à des bandes de matous enragés se battant à coup de grues mécaniques. Que veux-tu, les vieux ne comprennent rien à la musique!

J'ai ajouté des coussins à ceux que Marie avait déjà accumulés.

J'ai aussi déménagé une partie de ma collection de bandes dessinées.

Ensuite, Marie a décidé qu'il fallait un peu de verdure pour égayer le Club, et elle a rempli la pièce de plantes vertes... en plastique.

Cher journal, je me sens tellement bien et tellement chez moi dans notre club secret sous l'école qu'un jour, la semaine dernière, j'y ai même apporté le gros télescope sur pied que mes parents m'ont donné à Noël.

— C'est quoi, *ça*? a demandé Marie.

— Heu... C'est un télescope, ai-je dit, n'arrivant pas à croire que Marie n'en eût jamais vu auparavant.

— Je sais que c'est un télescope, idiot! (J'aime ça, parfois, quand elle me traite d'idiot sur ce ton-là ; c'est comme un signe qu'elle tient à moi, que je suis quelqu'un de spécial pour elle). Mais qu'espères-tu faire avec ce télescope-là?

— Observer la lune, bien sûr, et les étoiles, mais surtout les planètes. Avec mon télescope – c'est un Celestron NexStar modèle 80 GT, avec un miroir de 80 mm de diamètre – on voit très distinctement les anneaux de…

— Dans un sous-sol! qu'elle a dit, Marie. Nous sommes dans un sous-sol! Tu en vois beaucoup, toi, des étoiles au plafond?

Oups!… Pas très brillant comme idée, ça!

Alors, à défaut d'en voir dans le ciel, j'en ai peint au plafond, moi, des étoiles. J'ai «emprunté» de la peinture à mes parents et j'ai peint le plafond noir. Ensuite, j'ai ajouté des étoiles, des argentées et des dorées, puis des planètes, avec ou sans anneaux. Pour terminer, Marie a fixé, à l'aide de gommette, une fusée en plastique qu'elle a eue en cadeau au McDo.

Un vrai chef-d'œuvre!

Et juste à nous, (((ma belle))) Marie et moi!

D'accord, me diras-tu, cher journal, mais si quelqu'un entrait pendant que vous n'êtes pas là? Si quelqu'un découvrait votre repaire?

Im-pos-si-ble!

Marie a déniché un cadenas dans le grenier chez ses parents. Un gros, un vieux, un antique cadenas tout rouillé qui a l'air d'avoir été fabriqué en mille neuf cent je sais pas quand. Bien avant qu'on ait construit l'école en tout cas. Ainsi, la pièce aura l'air d'avoir été cadenassée depuis des dizaines d'années. Le concierge fait le ménage de cette partie-ci du sous-sol deux ou trois fois par année seulement; lorsqu'il comprendra qu'il ne peut pas entrer, qu'il n'a pas de clé dans son trousseau de clés pour déverrouiller le cadenas, eh bien il se dira: «Bon, parfait! Une pièce de moins à balayer!» et il s'en ira.

▲　▲　▲

Oui, mais tout ça, ça ne résout pas mon problème, tonnerre de Brest! (j'ai décidé, depuis quelque temps, d'emprunter ce juron-là au Capitaine Haddock; ça fait plus sérieux que le «boulette de viande» que je lançais, plus jeune, à tout propos). Non, ça ne règle pas mon problème.

Qu'est-ce qu'on offre donc, comme cadeau d'anniversaire, à la fille qu'on... aime... plutôt beaucoup?

Un disque?

Ah! Je m'imagine encore en train d'acheter le nouveau CD des Cinq Mignonnettes. Je suis sûr que Marie ne jure que par les Cinq Mignonnettes. Mais si jamais les gars de ma classe découvraient que j'ai acheté un disque de filles, j'en entendrais parler jusqu'à la fin des temps!

Bon. Pas de disque, alors.

Un livre?

Même chose. Depuis quelques semaines, Marie s'est lancée dans la lecture de romans d'amour. Alors, tu me vois, cher journal, en train de choisir un bouquin tout rose qui s'intitule, disons, *Les chagrins secrets de*

Sophie ou *Mon amour est incompris*?

Non! *Niet! Nada!* Pas question, bonhomme!

▲ ▲ ▲

Récapitulons donc:

~~fleurs~~
~~bonbons~~
~~disques de filles~~
~~livres de filles~~

Hum! Problème...

Moi, je voudrais acheter à Marie quelque chose qu'elle chérira. Quelque chose de vraiment unique. Qui lui rappellera toujours que c'est moi qui le lui ai donné. Qui, lorsqu'elle le verra, lui fera murmurer, avec un sourire attendri: «Oh! Oui! C'est mon Robert à moi qui me l'a donné!» Un cadeau qui sera toujours près d'elle, exactement comme si moi, en chair et en os, j'étais toujours près d'elle. (Et non, cher journal, je ne lui donnerai pas un portrait de moi dans un beau petit cadre doré! Faut quand même pas exagérer!)

Je dois faire un choix subtil, qui manifeste mon am... mon bon goût, mais quoi? quoi?

Il faudrait sans doute que je me mette dans la peau d'une fille pour découvrir ce qui ferait le cadeau idéal. Mais je ne peux pas me mettre dans la peau de Marie, car, au fond, je ne la connais pas suffisamment. La seule autre fille que je connaisse assez, c'est maman, mais puisqu'elle est une mère, elle ne peut plus être une fille!

Rien à faire. Je n'ai plus d'idées aujourd'hui. Sans doute

parce qu'il se fait tard et que j'y pense un peu trop.

Je vais aller me coucher. Peut-être qu'une idée me viendra en rêve. Il paraît que ça arrive souvent. La nuit porte conseil, qu'ils disent. Il paraît qu'il y a plein de scientifiques qui ont découvert plein de $E = mc^2$ en rêve.

Alors, bonne nuit, cher journal. Moi, je m'en vais rêver.

Plus tard

Ça y est! J'ai trouvé. J'ai fait un rêve magnifique et j'ai trouvé! Dans mon rêve, Marie était resplendissante et je…

Et puis, non, c'est trop intime, un rêve, pour le raconter à son journal… même intime.

Demain matin, je fais un saut à la banque et je retire des sous.

C'est Marie qui va être surprise!

Combien ça prend de doigts pour jouer correctement du piano ? Vingt !

Bien sûr, Robert, que j'ai su que tu as été malade.

La nouvelle a fait le tour de l'école. C'est rare qu'on attrape une grippe, la scarlatine et puis qu'on se casse une jambe *la même journée*!

Qu'est-ce qui t'a pris, veux-tu bien me dire? Tu voulais apparaître dans le *Livre Guinness des records*?

T'appeler?

Mais oui, je t'ai appelé. Quatre ou cinq fois en deux semaines et demie. Mais ça ne répondait jamais!

Le répondeur était en panne?

Et j'ai été te rendre visite aussi.

À l'hôpital?

Oh, non! Maman a une peur bleue des hôpitaux. Elle dit qu'on attrape plein de choses dans un hôpital. Je me suis plutôt rendue chez toi, et plusieurs fois, mais il n'y avait personne.

Personne ne répondait au téléphone et personne ne venait ouvrir à la porte. C'était comme si vous aviez déménagé sans avertir.

Chez ta tante? Comment ça, chez ta tante? Toi et ta mère avez transporté vos pénates chez ta tante parce que ton père devait se rendre à Paris en voyage d'affaires et que ta mère ne pouvait s'occuper de toi toute seule à cause de tous tes bobos? Tu oses ensuite me demander pourquoi je ne t'ai pas appelé? Comment voulais-tu que je devine où tu étais parti te cacher?

Pourquoi tu ne m'as pas appelée, toi?

Tu faisais de la fièvre? Une fièvre record et tu ne te rappelais plus rien? Pendant des jours, tu ne savais plus où tu étais ni même comment tu t'appelais?

Eh ben... quand tu décides d'être malade, toi, tu n'y vas pas avec le dos de la cuiller!

Moi, j'étais inquiète. Les jours passaient. Jamais je n'avais de nouvelles de toi. Et ma mère qui me racontait que, parfois, lorsqu'on entre à l'hôpital, il arrive qu'on n'en ressorte pas. Et puis Pinotte qui a décidé de renaître de ses cendres quelques jours à peine après ton départ.

Oui! Le seul, l'unique et l'inimitable Pinotte! Avec toute sa bande. Comme Robin des Bois, mais le Robin des Bois des tarés!

Moi, je croyais que j'aurais la paix jusqu'aux vacances de Noël, mais non. Le dragon s'est réveillé et il avait faim!

Non, Robert, monsieur le directeur ne peut pas nous venir en aide, avec sa grande épée, parce que le directeur est parti en voyage! En voyage d'études. Au Japon, mon cher! Il y observe le fonctionnement des écoles là-bas. Ça fait maintenant deux semaines qu'on ne le voit plus. Alors, tu imagines, Pinotte se croit tout permis maintenant, surtout depuis que…

Quoi? Mon anniversaire? Qu'est-ce qu'il a mon anniversaire?

Bien sûr qu'il est passé, mon anniversaire!

Ah... je comprends... Comment ça s'est passé, tu veux dire?

Oh, tu sais, ç'a été tout simple. Il n'y avait que nous quatre et puis...

Je comprends que tu n'aies pas pu venir, Robert. Tu étais occupé à collectionner les maladies. Ça ne laisse pas beaucoup de temps pour les amis, ça.

Non, ne crains rien, je ne suis pas fâchée, mais comme je disais à...

Mes cadeaux? Mes cadeaux... Voyons voir... Maman m'a offert une robe. Elle a dit que c'était une robe parfaite pour Noël, car elle est rouge et vert. Pourquoi elle me l'a offerte à mon anniversaire, je n'en ai aucune idée. De toute manière, tu sais, les robes, je peux m'en passer : moi, c'est des jeans, des jeans, des jeans! Enfin! Qu'est-ce que j'ai eu aussi? Un disque super, tiens. Mais c'est moi qui me le suis acheté avec l'argent que m'avait donné ma tante Clairette avant de partir pour la Floride le mois dernier. J'ai acheté le dernier CD d'un groupe qui s'appelle Les Affreux Dégueu. Est-ce que tu les connais? Incroyables, n'est-ce pas? Comment ça, c'est un disque de gars? Depuis quand ça existe, ça, des disques de gars et des disques de filles? D'ailleurs, la preuve, les Cinq Mignonnettes, eh ben, c'est le disque favori de...

Mon père? Qu'est-ce qu'il m'a donné, mon père? Un piano électronique. Oui, un piano électronique! Maman a regardé papa avec de gros yeux quand j'ai déballé ce cadeau-là. Je savais ce qu'elle pensait, car moi aussi, je pensais la même chose: «Comment veux-tu jouer correctement du piano quand il te manque un doigt à chaque main? Comment tu fais tes gammes sans sauter une note?» Je ne sais pas si c'est à cause de l'ambiance de la fête, car on s'amusait bien, nous quatre, mais tout à coup j'ai pensé: «Marie, combien y a-t-il de notes dans la gamme? Sept: do, ré, mi, fa, sol, la, si. Sept notes! Et combien j'ai de doigts en tout? Huit! Alors, il est où, le problème? Il pourrait même me manquer un autre doigt que j'en aurais assez pour jouer toutes les notes de la gamme!»

À part ça... Oh! Bien sûr, j'ai eu ma traditionnelle paire de mitaines tricotées par ma grand-mère. Elle m'en expédie une paire chaque année par la poste. Des mitaines rouge, bleu, rouge, bleu, rouge. Mes préférées. Je disais d'ailleurs à...

Heu... si tu m'as manqué?

Ben... oui... c'est évident.

On est des amis, n'est-ce pas? On fait partie du même Club des bizarroïdes, hein?

D'ailleurs, pendant quelques jours, quand je me promenais toute seule dans les cata-combes, je trouvais ça bizarre, comme si c'était tout nouveau. Je sursautais à chaque bruit inhabituel. Mais tout est rede-venu comme avant quand...

Pinotte? Je te l'ai dit: tou-jours égal à lui-même, et aussi laid qu'avant maintenant que ses cheveux ont recommencé à pousser. Il me harcèle toujours, mais un peu moins qu'avant. De toute manière, il a quelqu'un d'autre à harceler maintenant. D'ailleurs, il faut que je te raconte. Imagine-toi donc que…

Mon gâteau? Si je t'en ai gardé une pointe? Non, quand même. Il serait tout sec aujourd'hui! Bien sûr que j'ai pensé à toi durant la fête!… Mais qu'est-ce que tu as donc, toi, aujourd'hui? Je te sens nerveux, tu bouges, tu bouges… et, toi qui ne parles jamais, tu m'interromps tout le temps! Je ne me souviens même plus où j'en étais…

Ah oui! *Thomas*…

Comment ça, «Qui c'est, *lui*, Thomas? » Tu parles d'une

façon de parler!... Ah, oui, c'est vrai, tu ne le connais pas. Pas étonnant d'ailleurs, car Thomas est arrivé à l'école pendant que tu courais le marathon dans les couloirs de l'hôpital... D'accord, d'accord, je ne me paierai plus ta tête... Si tu me promets de me laisser raconter mon histoire tout d'une traite. Ça va? Bon. Où j'en étais, moi? Ah! Voilà!

C'était un jour comme les autres jours. Mademoiselle Suzanne nous avait laissés seuls quelques minutes, et le chahut habituel régnait dans la classe – rien de dramatique, mais le trafic aérien me semblait quand même assez dense: des avions, des boulettes de papier, des élastiques, les gros mots du grand Paulo, tu sais, celui qui fait partie de la bande à Pinotte? Juste au moment où Fatima allait pleurer parce que Sylvain lui tirait les cheveux, mademoiselle Suzanne est entrée. Elle a fait deux pas dans la classe et, sans se tourner, elle a dit:

— Sylvain, va donc tirer les cheveux de madame la directrice intérimaire pour voir si elle appréciera un tel geste.

Ensuite elle a été s'asseoir derrière son bureau et, tendant la main, elle a annoncé:

— Les amis, j'aimerais vous présenter un nouvel élève qui vient tout juste d'arriver dans notre école, il s'appelle…

Elle s'est tue et elle a baissé le bras lorsqu'elle s'est aperçue qu'il n'y avait personne à côté de son bureau.

— Thomas? a-t-elle appelé. Thomas, tu peux entrer.

Alors un garçon est entré... très lentement... les yeux rivés au sol... Déjà, on entendait Paulo ricaner. Je me suis dit que celui-là avait reçu une formation très complète de son chef Pinotte. Je me suis dit aussi que si le petit nouveau n'abandonnait pas sa timidité, il deviendrait la prochaine victime de Pinotte et de sa bande. Eh ben, il l'est devenu, mais pas pour les raisons que je croyais.

De quoi il a l'air, Thomas?

Heu... ben... il est assez... heu... joli...

Non, je ne rougis pas, c'est la lumière qui fait ça!

Où j'en étais déjà? Ah oui, Thomas...

Il est grand, un peu maigre. Il a les cheveux longs, tout noirs, tout bouclés, de grands yeux noirs avec des cils qui n'en finissent plus, un petit nez mignon et des lèvres... J'ai dit mignon, moi? Allons donc! J'ai dit... heu... *tout rond,* un petit nez tout rond...

Enfin...

Tu aurais dû le voir, debout à côté du bureau de l'institutrice, les mains dans les poches, il ne savait plus quoi faire.

Mademoiselle Suzanne a dit:

— Voici donc Thomas Damphousse. Ses parents et lui viennent d'emménager dans une petite maison dans la rue juste à côté de l'école. Nous allons tous faire en sorte que Thomas se sente le bienvenu dans sa nouvelle école, n'est-ce pas?

Il y a eu des «oui, mademoiselle» et des «ouais, ouais» qui

ont flotté un peu partout dans la classe, puis mademoiselle Suzanne a indiqué du doigt le pupitre, à la gauche du mien, qui était libre.

— Va t'asseoir. Je crois que tu as tous les livres dont tu as besoin; si jamais il te manquait quelque chose, tu pourras demander à Marie Gadouas, qui est ta voisine. Elle va sûrement se faire un plaisir de t'aider.

Bien sûr, j'ai entendu quelqu'un au fond de la classe qui a murmuré «Marie Quatdoigts», mais je ne crois pas que Thomas l'ait entendu.

En s'assoyant, Thomas m'a fait un petit signe timide de la tête, et moi, je lui ai fait un grand sourire pour lui montrer que oui, en effet, il était le bienvenu.

Depuis que tu étais absent de l'école, je mangeais toute seule comme c'était mon habitude avant qu'on devienne amis. Ce jour-là, seule à ma table, je commençais à peine mon sandwich quand j'ai entendu un gros rire gras qui venait de l'autre côté de la cafétéria.

Pinotte, bien sûr.

Personne ne sait rire aussi gras et aussi fort que Pinotte, surtout de ses propres blagues, et *surtout* lorsqu'elles ne sont pas drôles du tout.

Tu devines ce qui se passait, n'est-ce pas, Robert?

Eh oui! *Thomas.* Il venait de tomber dans les griffes de notre Pinotte préféré!

Pour la première fois, ça m'a fait tout drôle de constater qu'un autre élève subissait le même sort que celui qui était le mien depuis si longtemps.

J'ai entendu un : « Tom Pleindpouces ! » et les rires ont fusé de partout.

J'ai levé les yeux de mon sandwich.

Ils l'encerclaient.

Thomas était debout, son plateau à la main. Pinotte et ses sbires l'encerclaient et chacun y allait de commentaires tous plus idiots les uns que les autres. C'était horrible ! Je crois que même moi, je n'ai jamais eu à subir un assaut aussi direct que celui qu'endurait alors Thomas.

J'ai regardé partout : la surveillante, comme par magie, avait disparu.

Plus personne ne mangeait. Tous les yeux de tous les élèves de la cafétéria étaient rivés sur ce qui se passait devant eux.

Mon cœur battait fort. Je me sentais envahie de colère. Je...

Tiens, c'est quoi le petit paquet que tu tiens là? Je ne l'avais pas remarqué avant.

C'est rien?

Mon histoire? Tu veux que je continue mon histoire? Bon, d'accord.

Mon cœur battait fort! J'ai laissé tomber mon sandwich, je me suis levée et, sans même m'en apercevoir, j'avais déjà traversé la cafétéria et j'étais debout derrière Pinotte.

— Tom Pleindpouces! qu'il gueulait. Le p'tit nouveau s'appelle Tom Pleindpouces!

Personne ne s'apercevait que j'étais là... sauf Thomas, dont le regard avait croisé le mien. En un seul regard,

Robert, lui et moi on s'est compris. Je crois qu'il a vu dans mes yeux que j'étais déjà passée par là, et moi, j'ai vu dans les siens que ce n'était certainement pas la première fois qu'il endurait une situation pareille.

J'allais taper sur l'épaule de Pinotte pour lui dire d'arrêter, quand je me suis aperçue que je tenais encore mon verre de jus de raisin à la main.

Je n'ai pas réfléchi, pas même une seconde.

Quand Thomas a compris ce que j'allais faire, il a eu un grand sourire.

Pinotte a eu à peine le temps de dire :

— Hé, toi, qu'est-ce que t'as à sourire comme ça ?

… que je lui versais tout le jus sur la tête !

Du jus de raisin, ça tache. Quand on a un chandail blanc tout neuf, ça tache encore plus.

Il y a eu un grand rire dans toute la cafétéria.

Pinotte s'est retourné vers moi, tout rouge, les poings fermés, prêt à frapper. Lorsqu'il a vu que c'était moi, il a dit :

— Marie Quatdoigts, tu vas en manger toute une…

J'ai murmuré :

— Alors, tu t'es bien amusé pendant tes deux semaines de suspension ? J'espère que tu aimes ça, les cheveux courts.

Il n'était plus rouge, Pinotte, mais violet, et ce n'était pas dû seulement au jus de raisin que je lui avais versé sur la tête.

Il a dit, entre les dents :

— Marie Quatdoigts puis Tom Pleindpouces… vous allez bien ensemble !

Il a fait un signe à ses amis et, en quittant la cafétéria, il a lancé :

— Avec tous les monstres qu'il y a ici, c'est pas une école, c'est un cirque !

Nous sommes restés là, tous les deux, pendant quelques secondes, sans bouger, puis Thomas s'est secoué et m'a demandé :

— T'as de la place pour moi à ta table ?

J'ai fait signe que oui – je ne sais pas pourquoi, mais j'étais à peu près incapable de parler. Tu sais pourtant que j'aime ça, moi, parler !

Nous avons mangé en silence…

Tu es sûr que tu ne veux pas me dire ce qu'il y a dans le paquet, là ?… Plus tard ? Ah, bon… d'accord.

Nous avons donc mangé en silence. Je ne sais pas pourquoi, mais ça ne me dérangeait pas du tout. Thomas me souriait de temps à autre, et c'était suffisant.

Alors que j'allais lui poser une question qui me chicotait, la cloche a sonné et nous sommes montés en classe.

Le lendemain, nous avons mangé ensemble. Pour une raison ou une autre, je n'ai pas songé à poser ma question de la veille.

Cette journée-là, Pinotte ne s'est pas présenté à l'école.

Le surlendemain, Thomas et moi, nous avons mangé encore ensemble.

J'ai vu passer Pinotte, très rapidement, tout seul. Il n'avait à peu près plus un seul cheveu sur le coco! Je crois que le

coup du chandail au jus de raisin, ça n'a pas beaucoup plu à
ses parents!

J'allais en faire la remarque
à Thomas, mais ce qui m'est
sorti de la bouche, c'est plutôt
la question suivante:

— Thomas, pourquoi ces
idiots t'ont-ils appelé Tom
Pleindpouces?

Thomas a eu l'air étonné. Il
a avalé la dernière bouchée de
son sandwich et la dernière
gorgée de son jus. Il s'est es-
suyé la bouche avec un essuie-
tout et il m'a regardée droit
dans les yeux.

— Tu ne sais pas? m'a-t-il
demandé.

— Ben... non, pas du tout,
ai-je répondu.

Il s'est gratté la tête un bon
moment, puis il a fait craquer
ses jointures les unes après

les autres, ce qui lui a pris au moins une minute, puis il m'a demandé:

— Et toi, pourquoi ils t'appellent Marie Quatdoigts?

Je me suis dit, en grimaçant: «Bon, allons-y pour une autre démonstration…» Curieusement, ça ne me mettait pas dans tous mes états comme à l'habitude.

J'ai tout simplement levé les mains devant moi et j'ai agité un peu les doigts.

— Combien ça fait de doigts? ai-je demandé.

Thomas a souri – un beau sourire, Robert, pas un sourire ironique – et il a répondu:

— Huit.

Tu es sûr, *sûr* que tu ne veux pas me dire ce qu'il y a dans le paquet? Je gage que c'est un cad… Tantôt? Après mon histoire? Promis?

Thomas a souri encore et là... il a levé les mains à son tour... il a agité les doigts...

— Combien ça fait de doigts? a-t-il demandé.

Moi, j'ai dit sans penser:

— Combien veux-tu que ça fasse de doigts? Dix, bien sûr!

Thomas a approché ses mains de moi et il a répété:

— Combien ça fait de doigts?

Alors, en soupirant, j'ai compté... Un, deux, trois, quatre, cinq... six... sept, huit, neuf, dix... onze... douze!

— Eh oui, a-t-il dit. Marie Quatdoigts, je me présente: Tom Pleindpouces.

Robert, je n'ai jamais cru que ça m'arriverait un jour: rencontrer quelqu'un comme moi. Enfin, pas tout à fait comme moi, mais presque. Moi, j'ai huit doigts et lui, Thomas, il en a douze! J'ai rencontré quelqu'un qui a vécu les mêmes situations que moi – qui n'a jamais porté de gants de sa vie, lui non plus, mais toujours des mitaines –, qui a dû subir les railleries des autres enfants lorsqu'il était tout petit, puis, à l'école, de tous les autres élèves – qui n'a jamais pu se faire d'ami véritable parce que personne ne pouvait s'empêcher de rire de ses mains qui ont trop de doigts.

Je ne sais pas comment te dire ça, Robert, mais j'ai eu comme un coup au cœur. Puis mon cœur est devenu tout léger. Puis je ne savais plus quoi dire. Puis quand j'ai commencé à parler, je me suis mise à bégayer. Puis Thomas a éclaté de rire et tout le monde autour nous a regardés sans rien comprendre.

On s'est levés. J'ai pris Thomas par la main et je lui ai dit :

— Viens, j'ai quelque chose à te montrer.

Heu... oui... J'ai amené Thomas dans les catacombes. Mais je savais que tu serais d'accord. Notre club s'appelle le Club des bizarroïdes, n'est-ce pas ? Et je crois que Thomas a tout ce qu'il faut pour qu'on lui décerne le titre de bizarroïde, n'est-ce pas ?

Il est tellement gentil...

Lui et moi, on se comprend sans avoir à se parler.

Je suis sûr que, si tu as déjà eu une petite amie, tu sais exactement ce que je veux dire.

C'est comme s'il y avait une ligne téléphonique installée en permanence entre sa tête et la mienne.

C'est comme si on se connaissait depuis toujours.

Et il est drôle aussi. Il me fait rire tout le temps.

Et avec la douzaine de doigts qu'il a, il est passé maître dans l'art de faire des ombres chinoises! Tu aurais dû voir le spectacle qu'il nous a présenté, chez moi, à mon anniversaire.

Oui, bien sûr que je l'ai invité, Thomas, à mon anniversaire!

Mais ce n'est pas n'importe qui, c'est *Thomas*!

Si tu avais une petite amie, toi, tu ne l'inviterais pas à ton anniversaire? T'as de drôles d'idées, tu sais…

Ce n'est pas ce que tu voulais dire? Bon. Tu voulais dire quoi, alors?

Si tu ne le sais pas, je ne peux pas le deviner, moi.

D'ailleurs, tu vas le rencontrer tantôt. Quand tu m'as téléphoné pour me dire que tu venais me rendre visite, j'ai appelé Thomas. Il a dit qu'il avait hâte de te rencontrer. Il arrive dans quelques minutes.

Mais maintenant, moi, mon histoire est terminée, et tu ne m'as toujours pas dit ce qu'il contient, ce petit paquet-là.

C'est un cadeau d'anniversaire, n'est-ce pas?

Tu l'avais acheté le jour même où tu es tombé malade? Tu parles!

Je peux déchirer l'emballage? Je ne vaux rien, moi, pour déballer les cadeaux correctement.

Oh! Regarde la jolie boîte! Je me demande ce que…

Un bracelet! Et tout en argent!

Mais ça coûte une fortune, ça!

Tu n'aurais pas dû!

Attends, je le mets tout de suite!

Qu'est-ce que tu dis? À l'intérieur? Tu as fait graver quelque chose?

Attends… c'est tout petit…

De Robert, pour toujours…

Comme c'est gentil!

C'est la vérité vraie d'ailleurs: tu as été mon premier ami et tu vas être mon meilleur ami pour toujours!

De plus, comme je vais porter ce bracelet tous les jours, ce sera comme si tu étais tous les jours avec moi.

Regarde comme il me va bien, ton bracelet, avec la jolie

bague que Thomas m'a offerte pour ma fête!

Tu pleures, Robert?

Ah, d'accord, c'est juste une poussière… C'est vrai que je ne fais pas souvent le ménage dans ma chambre!

Oh! J'entends sonner en bas! Ce doit être Thomas qui arrive! Attends de le rencontrer, tu vas voir, c'est un garçon extraordinaire!

Ensuite, il va falloir se parler sérieusement.

Oh oui!

Maintenant que j'ai un petit ami, il va falloir qu'on te trouve une petite amie à toi. Comme ça, on pourra sortir tous les quatre et s'amuser comme des fous.

Hum… Je me demande combien de doigts elle va avoir, ta future petite amie…